汉语风 中文分级系列读物 Chinese Breeze Graded Reader Series

yì zhāng jiù huàr

一张旧画儿（第二版）

An Old Painting

主 编 刘月华（Yuehua Liu） 储诚志（Chengzhi Chu）
原 创 赵绍玲（Shaoling Zhao）

北京大学出版社
PEKING UNIVERSITY PRESS

图书在版编目(CIP)数据

一张旧画儿/刘月华，储诚志主编. —2版. — 北京：北京大学出版社，2018. 9

(《汉语风》中文分级系列读物. 第2级，500词级)

ISBN 978-7-301-29853-4

Ⅰ. ①一… Ⅱ. ①刘… ②储… Ⅲ. ①汉语—阅读教学—对外汉语教学—自学参考资料 Ⅳ. ①H195.4

中国版本图书馆CIP数据核字(2018)第201020号

书　　名	一张旧画儿(第二版) YI ZHANG JIU HUAR (DI-ER BAN)
著作责任者	刘月华　储诚志　主编 赵绍玲　原创
责任编辑	李　凌　路冬月
标准书号	ISBN 978-7-301-29853-4
出版发行	北京大学出版社
地　　址	北京市海淀区成府路205号　100871
网　　址	http://www.pup.cn　　新浪微博:@北京大学出版社
电子信箱	zpup@pup.cn
电　　话	邮购部 010-62752015　发行部 010-62750672 编辑部 010-62753027
印 刷 者	北京大学印刷厂
经 销 者	新华书店
	850毫米×1168毫米　32开本　2.625印张　41千字 2010年9月第1版 2018年9月第2版　2018年9月第1次印刷
定　　价	22.00元

刘月华

毕业于北京大学中文系。原为北京语言学院教授，1989年赴美，先后在卫斯理学院、麻省理工学院、哈佛大学教授中文。主要从事现代汉语语法，特别是对外汉语教学语法研究。近年编写了多部对外汉语教材。主要著作有《实用现代汉语语法》（合作）、《趋向补语通释》《汉语语法论集》等，对外汉语教材有《中文听说读写》（主编）、《走进中国百姓生活——中高级汉语视听说教程》（合作）等。

储诚志

夏威夷大学博士，美国中文教师学会前任会长，加州大学戴维斯分校中文部主任，语言学系博士生导师。兼任多所大学的客座教授或特聘教授，多家学术期刊编委。曾在北京语言大学和斯坦福大学任教多年。

赵绍玲

笔名向娅，中国记者协会会员，中国作家协会会员。主要作品有报告文学集《二十四人的性爱世界》《国际航线上的中国空姐》《国际航线上的奇闻秘事》等，电视艺术片《凝固的情感》《希望之光》等。多部作品被改编成广播剧、电影、电视连续剧，获各类奖项多次。

Yuehua Liu

A graduate of the Chinese Department of Peking University, Yuehua Liu was Professor in Chinese at the Beijing Language and Culture University. In 1989, she continued her professional career in the United States and had taught Chinese at Wellesley College, MIT, and Harvard University for many years. Her research concentrated on modern Chinese grammar, especially grammar for teaching Chinese as a foreign language. Her major publications include *Practical Modern Chinese Grammar* (co-author), *Comprehensive Studies of Chinese Directional Complements*, and *Writings on Chinese Grammar* as well as the Chinese textbook series *Integrated Chinese* (chief editor) and the audio-video textbook set *Learning Advanced Colloquial Chinese from TV* (co-author).

Chengzhi Chu

Chu is associate professor and coordinator of the Chinese Language Program at the University of California, Davis, where he also serves on the Graduate Faculty of Linguistics. He is the former president of the Chinese Language Teachers Association, USA, and guest professor or honorable professor of several other universities. Chu received his Ph.D. from the University of Hawaii. He had taught at the Beijing Language and Culture University and Stanford University for many years before joining UC Davis.

Shaoling Zhao

With Xiangya as her pen name, Shaoling Zhao is an award-winning Chinese writer. She is a member of the All-China Writers Association and the All-China Journalists Association. She authored many influential reportages and television play and film scripts, including *Hostesses on International Airlines*, *Concretionary Affection*, and *The Silver Lining*.

前　　言

学一种语言，只凭一套教科书，只靠课堂的时间，是远远不够的。因为记忆会不断地经受时间的冲刷，学过的会不断地遗忘。学外语的人，不是经常会因为记不住生词而苦恼吗？一个词学过了，很快就忘了，下次遇到了，只好查词典，这时你才知道已经学过。可是不久，你又遇到这个词，好像又是初次见面，你只好再查词典。查过之后，你会怨自己：脑子怎么这么差，这个词怎么老也记不住！其实，并不是你的脑子差，而是学过的东西时间久了，在你的脑子中变成了沉睡的记忆，要想不忘，就需要经常唤醒它，激活它。"汉语风"分级读物，就是为此而编写的。

为了"激活记忆"，学外语的人都有自己的一套办法。比如有的人做生词卡，有的人做生词本，经常翻看复习。还有肯下苦功夫的人，干脆背词典，从A部第一个词背到Z部最后一个词。这种做法也许精神可嘉，但是不仅过程痛苦，效果也不一定理想。"汉语风"分级读物，是专业作家专门为"汉语风"写作的，每一本读物不仅涵盖相应等级的全部词汇、语法现象，而且故事有趣，情节吸引人。它使你在享受阅读愉悦的同时，轻松地达到了温故知新的目的。如果你在学习汉语的过程中，经常以"汉语风"为伴，相信你不仅不会为忘记学过的词汇、语法而烦恼，还会逐渐培养出汉语语感，使汉语在你的头脑中牢牢生根。

"汉语风"的部分读物出版前曾在华盛顿大学（西雅图）、范德堡大学和加州大学戴维斯分校的六十多位学生中试用。感谢这三所大学的毕念平老师、刘宪民老师和魏苹老师的热心组织和学生们的积极参与。夏威夷大学的姚道中教授、加州大学戴维斯分校的李宇以及博士生Ann Kelleher和Nicole Richardson对部分读物的初稿提供了一些很好的编辑意见，在此一并表示感谢。

Foreword

When it comes to learning a foreign language, relying on a set of textbooks or spending time in the classroom is not nearly enough. Memory is eroded by time; you keep forgetting what you have learned. Haven't we all been frustrated by our inability to remember new vocabulary? You learn a word and quickly forget it, so next time when you come across it you have to look it up in a dictionary. Only then do you realize that you used to know it, and you start to blame yourself, "why am I so forgetful?" when in fact, it's not your shaky memory that's at fault, but the fact that unless you review constantly, what you've learned quickly becomes dormant. The *Chinese Breeze* graded series is designed specially to help you remember what you've learned.

Everyone learning a second language has his or her way of jogging his or her memory. For example, some people make index cards or vocabulary notebooks so as to thumb through them frequently. Some simply try to go through dictionaries and try to memorize all the vocabulary items from A to Z. This spirit is laudable, but it is a painful process, and the results are far from sure. *Chinese Breeze* is a series of graded readers purposely written by professional authors. Each reader not only incorporates all the vocabulary and grammar specific to the grade but also contains an interesting and absorbing plot. They enable you to refresh and reinforce your knowledge and at the same time have a pleasurable time with the story. If you make *Chinese Breeze* a constant companion in your studies of Chinese, you won't have to worry about forgetting your vocabulary and grammar. You will also develop your feel for the language and root it firmly in your mind.

Thanks are due to Nyan-ping Bi, Xianmin Liu, and Ping Wei for arranging more than sixty students to field-test several of the readers in the *Chinese Breeze* series. Professor Tao-chung Yao at the University of Hawaii. Ms. Yu Li and Ph.D. students Ann Kelleher and Nicole Richardson of UC Davis provided very good editorial suggestions. We thank our colleagues, students, and friends for their support and assistance.

主要人物和地方名称

Main Characters and Main Places

傻小 Shǎxiǎo

"The Little Silly", a rag boy from the country

张大哥 Zhāng dàgē

Brother Zhang, a friend of Shaxiao. He makes a living by collecting scrap.

老奶奶 lǎonǎinai

A kind old lady

旧画儿商店的老爷爷 jiù huàr shāngdiàn de lǎoyéye

An old man who is an art dealer

高先生 Gāo xiānsheng

Mr. Gao, a painting connoisseur

冷先生 Lěng xiānsheng

Mr. Leng, a painting connoisseur

姓白的男人 xìng Bái de nánrén

Mr. Bai, a fraudulent trader

穿黄衣服的男人 chuān huáng yīfu de nánrén

A man in yellow, Mr. Bai's assistant

北京 Běijīng: The Captical of China

远大小区 Yuǎndà Xiǎoqū: Name of a residential quarter (远大 lit., long-range)

文中所有专有名词下面有下画线,比如:傻小

(All the proper nouns in the text are underlined, such as in 傻小)

目　　录

Contents

1. 是三百年前的画儿[1]？

旧画儿[1]商店的那个老爷爷好像怕自己的眼睛看得不对，他又一次把那张旧画儿[1]拿起来，从上看到下，从左看到右，还慢慢拿高一些，前前后后好好儿[2]地看了看……看着看着，他的

1. 画儿 huàr: painting, picture
2. 好好儿 hǎohāor: all out

眼睛一点儿一点儿地变[3]大了，最后[4]，他用手重重地打了自己一下，对着傻小问："孩子，我不是在睡觉吧？"

傻小不懂老爷爷为什么这样问，他的眼睛也变[3]得大大的，看着老爷爷："没有，老爷爷，您没睡觉，您站着呢[5]。"说完，傻小又问："您怎么了？"

老爷爷想对傻小笑笑，可是没笑出来，他很快地对傻小说："孩子，你等等，先坐下喝点儿茶，这件事太大了！我再找两个外边的朋友来帮我们看一看，他们都是特别会看旧画儿[1]的人。"

傻小是个收废品[6]的。两年前，傻小还是个学生，可是，妈妈病了，看病吃药用了很多钱，所以，先是傻小的姐姐和妹妹不能去学校了，没有多长时间，也没有钱让傻小去学校学习了，15岁的傻小就从他家坐火车来到北京，在一个小区[7]里收废品[6]。

3. 变 biàn: become, change
4. 最后 zuìhòu: finally, at last
5. 着呢 zhe ne: mood particle emphasizing it is obvious that some action is ongoing or some state is continuously existing
6. 收废品 shōu fèipǐn: collect scrap
7. 小区 xiǎoqū: residential quarter, community

从一来到北京，傻小就知道，自己不是北京人，这个城市不是他的城市。因为这么大的北京，那个小区[7]的人除了想卖废品的时候会看他一下，别的[8]时间，一百个人从他旁边走过，有九十九个好像都没看见他。只有一些人带着的狗，看见傻小就停下，对着他大叫，好像他是坏人一样。两年了，傻小还没见过一个北京人像老爷爷这样对自己，让他坐下，还给他茶喝。傻小觉得很高兴，就说："行。"但是，傻小没有坐下，也没有喝茶。

傻小知道，自己穿的衣服太旧、太不干净，好长时间都没洗头了，天天收废品[6]，手也挺黑的……人家[9]叫他坐下，叫他喝茶，那是客气。在人家[9]这么干净的地方，他不能想坐就坐，想喝就喝。

傻小还像刚才一样站着，一点儿也不动，只是[10]看老爷爷打电话。他想听听老爷爷说什么，但是，他什么也没听清楚。

8. 别的 biéde: other
9. 人家 rénjia: other, other people, he/him (she/her, they/them)
10. 只是 zhǐshì: merely, simply, only

这时候，有个在旁边看画儿[1]穿黄衣服的人，已经把刚才的事都看在了眼睛里……

还不到半小时，两个六十多岁的老爷爷坐着一辆漂亮的小汽车来了。他们都穿着很新很漂亮的衣服，一个穿黑颜色，一个穿白颜色。一进门，商店的老爷爷就很快地走过去了。

“高先生、冷先生，你们来啦，请坐请坐，先喝点儿茶?”

“不客气，不客气!”穿黑衣服的那个高先生前后看了看，见附近没有人，只有很远的地方，一个穿黄衣服

的人在那里慢慢看画儿[1]，才问："你在电话里说的，是真的吗？"

还没等旧画儿[1]商店的老爷爷说什么，穿白衣服的冷先生说话了，"一个收废品[6]的孩子，能拿来石涛[11]的画儿[1]？"冷先生说这些话的时候，他那个挺大的头不停地动，眼睛一会儿往东看，一会儿往西看，一会儿又往南看，就是[12]不往傻小站着的地方看，"大概快三百年了！石涛[11]的画儿[1]，能看到的，咱们几个人应该都见过了啊！"冷先生对高先生说。

高先生慢慢地说："当然，不会有咱们还没见过的了。"

"石涛[11]是1718年死的，今天，有个收废品[6]的孩子拿出一张石涛[11]的画儿[1]来，"他把"收废品[6]的"四个字说得特别重，"大家想想看，能是真的吗？"

听冷先生这么一说，傻小可真有点儿傻[13]了：什么？这是1718年前的

11. 石涛 Shí Tāo: Shi Tao (1642—1707), a prestigious Chinese painter who lived during Late Ming Dynasty and Early Qing Dynasty
12. 就是 jiùshì: merely, simply, only
13. 傻 shǎ: foolish, silly

画？石涛[11]？以前在学校上的历史课，老师没说过这个名字啊？傻小想，打死我，我也想不到，拿来的画儿[1]差不多有三百年了！可能因为太紧张太高兴了，傻小一下子觉得自己挺累的，累得腿[14]都快站不住[15]了。

“高先生，冷先生，咱们还是先看看画儿[1]吧。”听了冷先生的话，旧画儿[1]商店的老爷爷很快地说，他好像很不希望高先生和冷先生说那画儿[1]不是真的。

他们走到桌子旁边，画儿[1]就放在桌子上，三个人前后左右慢慢地看那张画儿[1]，看了很长时间，傻小觉得，大概有半个小时，不，比半个小时还要长！看一会儿，他们的头就离得比刚才更近一点儿，还说了很多傻小听不清楚，也听不懂的话。

傻小只觉得，冷先生的眼睛好像不太“冷”了，他看那张画儿[1]的时候，眼睛“热”了不少，最后[4]，都有点儿红了……

不知道过了多长时间，旧画儿[1]商

14. 腿 tuǐ: leg
15. 站不住 zhàn bu zhù: cannot stand

店的老爷爷走过来，问傻小："孩子，这画儿[1]，你打算卖多少钱？"

傻小的头左右动了动，觉得还好，头能动呢，傻小又动了动手，手也很好，也能动。就说："老爷爷，对不起，这画儿[1]我不卖。"

"不卖？不卖你拿到这儿来做什么？"老爷爷有点儿不高兴了。

傻小紧张了，爸爸早就教傻小，不能叫人家[9]不高兴，到了北京以后，傻小更觉得不能叫人家[9]不高兴了，人家[9]北京人，是大城市的人，人家[9]住的房子那么大，穿的衣服那么贵，上过大学，会说英文，还有很多人都到外国去过，像美国，还有……多着呢[5]，傻小一下子想不出外国的名字来了。怎么能叫人家[9]北京人不高兴呢？

傻小很紧张地说："老爷爷，这画儿[1]，不是我的。"

"什么，不是你的？"冷先生很快地问："是谁的？"

傻小就一五一十[16]地开始说了起来。

Want to check your understanding of this part?
Go to the questions on page 55.

16. 一五一十 yī wǔ yī shí: (enumerating) in full details

“这个月五号，也就是[17]五天前，星期三，我等着人来卖废品，就看见十号楼那个老奶奶走过来了，这老奶奶是小区[7]里对我最好的人，每次看见我，都跟我说一会儿话。这老奶奶过去[18]是老师，她还送给我书，叫我好好儿[2]复习，以后上大学呢。两年前的冬天，我刚到北京，有一天天气特别冷，老奶奶看见我就问：‘孩子，冷不冷？’我说：‘不怕，我们家那儿比这里更冷呢。’没想到[19]，过了一会儿，老奶奶拿来一件挺大挺暖和的衣服给我穿上了。今年夏天，有一天天气特别热，老奶奶看见我就问：‘孩子，热不热？’我说：‘不怕，我们家那儿比这儿更热哩。’没想到[19]，过了一会儿，老奶奶回家拿来一大瓶可乐[20]给

17. 就是 jiù shì: namely
18. 过去 guòqù: past
19. 没想到 méi xiǎngdào: hardly expect; surprisingly
20. 可乐 kělè: cola

我，那么凉[21]的可乐[20]，夏天喝着真舒服……”

“行了[22]，行了[22]，别说这些没用的。快说说，画儿[1]是从哪儿来的？”高先生对老奶奶冬天给傻小暖和的衣服穿、夏天给傻小可乐[20]喝的事没兴趣。

傻小知道自己的话说得太长了，他很想快一点儿说高先生想听的事，可是，傻小快不了[23]。

“这个月五号那天上午，老奶奶拿

21. 凉 liáng: cold, cool
22. 行了 xíng le: all right
23. 快不了 kuài bu liǎo: cannot be quick (fast)

着一个小包走过来了。每次看到老奶奶，我都很高兴，我问她：‘老奶奶，去商店买菜啊？’老奶奶什么话都没有说，眼睛好像什么也不看，头也不动，就那么慢慢往前走，我想，老奶奶好像哪儿有点儿不对？是，她今天一点儿都不笑，在路上还老往左走！你们不知道吧，那儿的路，右边是人走的，是去公园的路，左边是汽车路，有不少汽车，汽车都开得很快。我就叫：‘老奶奶，注意，不要往左走了！’我还没说完，她就已经出问题了，我看见她就像睡着了一样，一下子坐在地上！我跑到她那儿，想帮助她站起来，可是有人对我叫：‘喂！收废品[6]的，不要动她，快去打120电话！’我知道，120电话是叫医院来车接[24]生病的人，我就跑到附近有电话的地方打了120……”

“收废品[6]的，你怎么老说这些没用的事？”冷先生很不高兴，“你能不能快一点儿说，这画儿[1]是从哪儿来的？”

“快了，快了。”傻小又紧张又

24. 接 jiē: pick up, take (someone or something)

热，他想，自己真没用，就这么一点儿事，怎么说不清楚？

“老奶奶住进医院里了，第三天中午，她的女儿就把她家的旧电视，旧电脑，旧桌子，旧的书、报纸，还有一本词典和很多种旧东西，一大包一大包的，都卖给我了，有人说，她的女儿已经把她的房子卖了，准备叫她从医院出来以后，和自己住在一起。

“我买了老奶奶的旧东西那天，又高兴又不高兴，高兴的是，这么一大车东西，我到废品站能卖好几百块

钱，我可以把钱给妈妈寄回家去，让她看病买药。不高兴的是，我知道，以后再也看不见老奶奶了。小区[7]里没有这个老奶奶了，就再也没人跟我说话了……”

5

“说了半天[25]，你还是没说到画儿[1]的事。”旧画儿[1]商店的老爷爷也有点儿不高兴了。

看见老爷爷也不高兴了，傻小很不好意思，他想快点儿说画儿[1]的事，可是没有办法，从很小的时候开始，他说一件事，只会一五一十[16]地从头[26]开始。所以，傻小还是只会接着[27]刚才的话说。

10

“晚上回到住的地方，我一件一件把东西从车上拿下来，没想到[19]，有个旧桌子，刚一拿，腿[14]儿就坏了，我想，这个桌子要是坏了，就少卖二十多块钱！那时候，天已经黑了，我就把桌子拿到门前面，那里看得清楚一些，我想把桌子的腿[14]儿接[28]上。”

15

20

“把桌子拿到门前面一看，我就看

25. 半天 bàntiān: half a day, a long time
26. 头 tóu: beginning (lit: head)
27. 接着 jiēzhe: continue (lit: following)
28. 接 jiē: link, join up, connect

出问题来[29]了……”傻小说到这里，三个老先生都紧张起来，“接着[27]说！接着[27]说！”高先生很快地对傻小说。

“我看见桌子的一个腿[14]儿和那三个不一样，这个腿[14]儿里有个东西，我把那东西拿上来一看，啊，是张画儿[1]——，画儿[1]上有山也有水，挺好看！”

听到这儿，三个老先生看着傻小，眼睛都大了不少。

“我拿着画儿[1]给收废品[6]的张大哥

29. 看出来 kàn chulai: see, realize, find out

看，张大哥就住在我旁边。

“我说：‘画儿[1]是挺好看，就是[12]旧了点儿。’

“收废品[6]的张大哥说：‘傻小！不知道吧？中国画儿[1]和外国画儿[1]，都是旧的才能卖大钱！明天拿到旧画儿[1]商店，叫懂画儿[1]的先生看看，要是真的，一定能卖很多钱！’我问他，很多是多少？他说，够你一家人用一百年！这样，我就来了。”

傻小很不容易才把事说完。说完，傻小就不紧张也不热了。现在，紧张的是那三个老先生。

“那个老奶奶家的人找过你吗？”高先生问。

“没有。”傻小想，老奶奶可能还在医院里呢。

“好！”旧画儿[1]商店的老爷爷好像挺高兴，“我给你钱！给你够一家人用一百年的钱——你把画儿[1]卖给我。”

“老爷爷，这画儿[1]……真的能卖那么多钱？”傻小想了想，好像想知道这是不是真的。

三个老先生都看着傻小，没说话。

傻小懂了。

傻小说：“要是这样，那……那我得把它还给老奶奶。”

听傻小这么一说，三个老先生你看看我，我看看你，然后再看着傻小。这次他们看傻小的时候，和刚才不一样了，特别是冷先生，刚才像冬天一样冷的眼睛里，现在好像换上了春天一样暖和的爱。

傻小没看出这些来[29]，他把那张画儿[1]拿过来，小心[30]地放到一个包里，再把包慢慢放到衣服里，放好了，又用手摸[31]摸[31]，好像怕它飞了一样。然后，傻小很客气地跟三个老先生说了谢谢，就骑上他收废品[6]的车高高兴兴地往回走。

旧画儿[1]商店的老爷爷看着骑远了的傻小高兴地说：“现在，这样的孩子，太少了，太少了！”

高先生对着冷先生说：“看见了吧？这个收废品[6]的不一样啊！”他学着冷先生，把“收废品[6]的”四个字说得特别重。

冷先生不好意思地笑了，说：“是

30. 小心 xiǎoxīn: careful
31. 摸 mō: feel, touch

啊，这孩子，看着傻[13]傻[13]的，话也不太会说，但是，非常可爱！好啊，今天咱们大家都高兴，看见了以前没看见过的石涛[11]的画儿[1]，还见到了以前没见到过的好孩子，今天晚上，我请你们喝酒！"

三个老先生一起笑起来。

Want to check your understanding of this part?
Go to the questions on page 55.

3. 有人在碗里放了药

傻小骑着收废品[6]的车走得很快，他上哪儿都骑着这辆车，在北京，还是骑车方便。傻小没有发现[32]，他在前边骑着车，一辆黑颜色的汽车，一直在后边跟着他。那是一辆外国车，很有名，也非常贵。车里坐着那个穿黄衣服的人和一个好像很有钱[33]的男人。

“我再问你一次，他那里真的有石涛[11]的画儿[1]？”好像很有钱[33]的男人眼睛看着骑在车上的傻小，慢慢地问穿黄衣服的男人。

“一百个没错！就是[34]我看错了，高先生、冷先生他们三个不会错吧？”穿黄衣服的男人说。

“好！”那个好像很有钱[33]的人把两只手重重地放到一起，“这画儿[1]，我一定要拿到！”

32. 发现 fāxiàn: find out
33. 有钱 yǒu qián: rich
34. 就是 jiùshì: even if

傻小刚回到家，还没有关门，那两个人就跟着进来了，他们拿着很好的礼物。

“孩子，旧画儿[1]商店里的事我都看见了，你做得很对！”穿黄衣服的人说。 5

傻小一下子傻[13]了：“你……你是刚才那个看画儿[1]的？”傻小不知道他们怎么找到自己家的。

“是啊，我的工作就是[35]看画儿[1]。” 10

35. 就是 jiù shì: precisely be, exactly be

那个人说话特别快。

“孩子，贵姓啊？”那个好像很有钱[33]的人问。他有四十多岁，是个长得不高，但是身体很重的人。傻小看见这样的人就常常想，他们吃得一定特别好。

“我，我，我贵姓……”长这么大，还没有人问过傻小“贵姓”，一紧张，傻小一下忘了自己姓什么了。十几年了，家里的人和同学、朋友都叫自己傻小、傻小，谁叫他傻小，他都快乐地说：“啊，在！”所以，傻小的名字已经很久没用，傻小自己都把它忘了。

“就、就叫我傻小吧。”傻小不好意思地说。

那个人笑了：“傻小，很好的名字！咱们认识一下吧。我姓白，我开的公司就是[35]买旧画儿[1]的。第一次见面，这是点儿小意思[36]，请收下！”他这样一说，穿黄衣服的人就把手里拿着的礼物放到了桌子上。

一听他是买旧画儿[1]的，傻小有点儿

36. 小意思 xiǎo yìsi: a little something, a small token of regard

懂了，这个有钱[33]人送给他礼物，是为了[37]老奶奶的画。傻小非常紧张："不行不行，这礼物不能收！"

"傻[13]孩子，我们老大[38]送给你礼物，还不快点儿收下！"

老大[38]？傻小想，不是电影里的坏人才叫老大[38]吗？他们是坏人吧？要不然[39]，他们怎么那么快就找到了我家？傻小开始怕了。

"傻小，如果把画儿[1]卖给我，我给的钱，比他们多。"那个好像很有钱[33]的人慢慢地说。

傻小很紧张："我没有那个石……石涛[11]的画儿[1]……不是，我什么画儿[1]都没有……也不是，那张石涛[11]的画儿[1]不是我的！"因为紧张，傻小的话前后有点儿接[28]不上。

这样说的时候，傻小很想摸[31]摸[31]衣服里的那个包，他很怕那个放着画儿[1]的包不在了。摸[31]那个包的时候，傻小怕那两个人看见，就走到门附近，对着门站着。傻小觉得他们看不见

37. 为了 wèile: for the sake of
38. 老大 lǎodà: big boss
39. 要不然 yàoburán: or else, otherwise

了，就很快地用手摸[31]了摸[31]，很好，包还在衣服里。

可是，谁也没看见，就在傻小走到门附近的时候，那个姓白的男人很快地做了一件事：他从自己的衣服里拿出一个很小的白包，把一些东西放进了桌子上的一个碗里，那个碗很旧，碗里有半碗水。包里的东西放进去，很快就看不见了。

这样的事他一定做过很多次，因为他做得非常快，那个穿黄衣服的人

都没有看见。

“好吧，好吧，你不要紧张。不卖就不卖吧[40]。我们走。”姓白的不快不慢地对傻小说，说的时候还笑了笑。见他这样，傻小就不太紧张了。 5

两个人上了那辆很贵的汽车。看他们真的走了，傻小很快地拿了桌子上的礼物跑到车前面——他们送这些礼物是因为那张画儿[1]，这让傻小很不舒服。 10

“这礼物……真的不能要哩。”

“好好好，不要就不要吧。”姓白的笑着把礼物接[24]到手里。

车开了一会儿，穿黄衣服的人问：“老大[38]，您真的不要那张画儿[1]了?!”他不懂，刚才还说一定要拿到那张画儿[1]的老大[38]，为什么就这样走了。 15

“你啊，晚上等着看吧。”姓白的老大[38]冷冷地笑着说。

Want to check your understanding of this part?
Go to the questions on page 56.

40. 不卖就不卖吧 bú mài jiù bú mài ba: It is okay not to sell it (as you wish).

4. “出事[41]了！出事[41]了！”

送走那两个人以后，傻小一下觉得不那么累了，他特别想吃东西，是啊，这一天的十几个小时里，就早饭吃了点儿东西，午饭没有吃，现在，已经晚上六点了，应该吃晚饭了。可是，吃什么呢？家里什么饭菜都没有，更别说水果了。

41. 出事 chū shì: have an accident, something's wrong

桌子上有半碗水，傻小很快地拿起了碗，他也一天没有喝水了。刚要喝，门开了。

“傻小，回来了？”收废品[6]的张大哥像回到自己家一样，笑着进来了，“是真画儿[1]吗？”他问。

张大哥来北京已经好几年了，一直都在收废品[6]，他常常帮助傻小，傻小很喜欢他。

看见张大哥来了，傻小放下碗，“是哩，真画儿[1]。画店[42]的老爷爷说，能给够一家人用一百年的钱哩。”

张大哥笑了，“看，我说得对吧？”

他在桌子旁边坐了下来，看见碗里有水，也不客气，把碗拿在手里，“那，你卖了多少钱？”

“我……我没卖。”傻小的眼睛看着张大哥手里那碗——傻小也很想喝。

“没卖?!”张大哥看着傻小，想了一下，他笑了：“傻小傻小，谁说你傻[13]？不卖才对！旧画儿[1]商店多哩，再问问，谁给钱多你卖给谁！”

傻小的眼睛不看那半碗水了，他

42. 画店 huàdiàn: painting shop, art dealer’s firm

的眼睛慢慢地往下看："这是老奶奶的画儿[1]，不能卖。"

"什么?!"张大哥把手里的碗重重地放到桌子上，"你真傻[13]吗？这画儿[1]是老奶奶的女儿给你的，画儿[1]上又没写着谁的名字，在谁那里就是[35]谁的!"

"那不合适。"傻小的眼睛还是往下看着，"这么贵的画儿[1]没了，老奶奶多不高兴啊。"

这次，张大哥真的高兴地笑了，"好弟弟！你真是好人。和你做朋友，我没看错人!"

张大哥高兴地在桌子旁边坐下，拿了那半碗水，不客气地很快喝完了。

"还没吃饭吧，"张大哥说，"走，到我家一起吃吧，我……去做……"他想站起来，可是腿[14]怎么也不听他的话，头也变[3]得很重，一点儿一儿点地往下，他很快地在桌子旁边睡着了……

傻小很紧张，也很怕，刚才还很好的一个人，怎么说着话，一下就睡着了？傻小怕他生病，就叫："张大哥，你怎么了，是不是感冒了，发烧

吗……”张大哥一点儿也不动，就像死了一样。

傻小没办法，看了张大哥一会儿，就搬着他那挺高挺重的身体，一点儿一点儿地走到张大哥的家。

把张大哥放到床上，傻小没有走，坐在床旁边看着他。傻小想，要是到晚上张大哥还是这样睡着，一定是身体出了什么问题，那就要打120电话，送他去医院。

傻小坐在那儿，又累又想吃东西，还特别想睡觉，他好几次叫自己

别睡，让自己站起来，到床边看看张大哥，可是，过了一会儿，他想站也站不起来[43]了，可能过了十二点吧，傻小就什么都不知道了。

第二天早上，七点十分，傻小才知道自己昨天晚上坐在张大哥的床旁边睡着了。张大哥呢，到了八点一刻的时候，眼睛才动了动。

“我这是怎么了?”张大哥左右看了看，他觉得眼睛不舒服，看东西比较难，说话也比较难。傻小说:“你真能睡！我都怕了，以为你生病了呢，说着话就睡着了。”

“我不是这样容易睡觉啊!”张大哥也不知道自己怎么了。

这时候，傻小的肚子叫了起来，他很想吃东西，就说:“你没事了，我回房间去。”

傻小刚走到自己房间的门前，就一下子叫起来——

“出事[41]了！出事[41]了!”

张大哥听他大叫，跟了过来，啊，傻小房间的门坏了，房间里的东

43. 站不起来 zhàn bu qǐlái: cannot stand up

西都有人动过了！床上的东西都放到了床下，桌子的几个腿[14]儿也都坏了……

“有人来过！”张大哥现在已经好了，不再想睡觉了，他马上想到，这还是因为那张画儿[1]！北京那么大，住在好房子里的有钱[33]人那么多，谁会那么傻[13]，到一个收废品[6]的人家里拿东西呢？这件事很清楚：昨天晚上，自己喝了傻小桌子上的水，马上就睡着了，也就是[17]说，要是自己不喝那半碗水，睡着的就是[35]傻小！傻小要是在自己的房间里睡着了，画儿[1]就没了！

“这事不小哩，有人已经注意你

了!”张大哥紧张地说。

张大哥这么一说，傻小有点儿怕，他很快地在衣服里摸[31]了摸[31]，还好，放那张画儿[1]的包还在。

5 “那，我应该怎么办呢?”傻小问张大哥。

“要快一点儿找到那个老奶奶，最好今天就去找。还有，这件事要告诉警察[44]。没有警察[44]的帮助，坏人可能

10 会让你死!”

这次，傻小真的怕了。他已经忘了想吃饭的事。

“张大哥，你跟我一起去警察[44]那里好吗?”傻小有点儿紧张地说，“我

15 这么傻[13]，也不会说话……我怕人家[9]警察[44]听不懂我说的。”

张大哥很快地说：“没问题，我跟你去!”

Want to check your understanding of this part?
Go to the questions on page 56.

44. 警察 jǐngchá: police

5. 老奶奶，你在哪儿？

傻小很紧张地跟着张大哥，走进警察[44]工作的地方。说真的，他有点儿怕警察[44]，因为有一次，傻小骑着收废品[6]的车去银行给妈妈寄钱。有个警察[44]叫傻小停下，说傻小走错了，走了路左边。骑车应该是走路右边的。警察[44]还拿出一个有很多字的小本子[45]，说："这里写着呢[5]，看见没有？"傻小没进过几年学校，很多字都不认识，所以没看懂。警察[44]说："罚[46]一次钱你就懂了。"就罚[46]了傻小一百块钱。傻小卖废品忙一天，一共才能得到[47]一点儿钱，一下罚[46]了一百块，那是他卖一个星期的废品才得到[47]的钱啊！他很不高兴。那时候，老下雨，菜很贵，差不多有半个月，傻小做饭的时候，都不买菜，他要寄钱给妈

45. 本子 běnzi: notebook
46. 罚 fá: penalize, punish
47. 得到 dédào: gain

妈，自己不能多用。也是从那次罚[46]钱以后，傻小就很怕警察[44]。所以，这次张大哥让傻小来找警察[44]的时候，他很紧张。

5 警察[44]叫他们进了一个房间，张大哥很快就把事情介绍得清清楚楚。张大哥说的时候，警察[44]就用笔往一个本子[45]上写，写的时候警察[44]还常常问傻小："是这样吗？"傻小很紧张，

10 说不出话来，没办法，就点点头[48]。傻小点头[48]的时候，警察[44]就对他笑一笑，警察[44]笑一次，傻小的紧张就好

48. 点头 diǎn tóu: nod

一点儿。最后[4]，警察[44]收好桌子上的本子[45]，对他们说："好了，你们可以回家了。要是出了什么新的问题，就打电话，马上告诉我们。"

傻小跟着张大哥走出来。 5

"完了？"傻小问。

"完了。"张大哥说。

"不难。"傻小说。

"不难。"张大哥说，"现在，我要去收废品[6]了，你快一点儿去找那个老 10
奶奶，把画儿[1]还给她。对了，没有找到老奶奶以前，你不要回家了，坏人可能就在房子附近等着你。晚上就到我的女朋友家去住吧，坏人不会找到那个地方。认识去她家的路吗？" 15

"认识。"傻小说。

傻小谢了张大哥，就骑着收废品[6]的车去了医院。他觉得老奶奶应该还在医院里。

这一天是周末，医院里看病的人 20
不多，也不用排队[49]。傻小看见一个漂亮的小姐，穿着长长的白衣服，坐在桌子后，傻小就问："医生大夫，我要找一个来看病的老奶奶。"

49. 排队 pái duì: stand in a line

见傻小这样叫自己，那个小姐可能觉得很有意思，就笑了，她一笑，特别好看。

“我不是大夫，”她说，“可是我可以帮助你。那个老奶奶叫什么名字？”

傻小想了想，说：“不知道。”

“她生的什么病？”

傻小想了想，又说：“不知道。”

“她多大年纪[50]了？”

“对不起……”傻小很不好意思，因为他还是不知道。

50. 年纪 niánjì: age

“你什么都不知道啊？”那个漂亮小姐又笑了。“不过，没关系，你想一想，知道什么？”

“啊！”傻小打了自己的头一下，“她是这个月五号上午十一点多来的医院，是120车送来的。”

漂亮小姐在一张表上看了半天[25]，“这个月五号……星期三，上午十一点多，老奶奶……啊，有了！”她说，“可是，你来晚了，她今天早上已经走了啊！”

“走了？”这，傻小没想到[19]，他一下子不知道怎么办才好。

“这老奶奶是你什么人？你为什么要找她？”

傻小又一五一十[16]地把事情说了一次，漂亮小姐听完，看了傻小好一会儿，说：“你真是个好孩子，我来帮助你。”

漂亮小姐用电话找到一个什么人，“请问，你那里有没有今天早上走的那个老奶奶的电话？知道她住在哪里也可以。啊，远大小区？二号楼？1101号？好，好，谢谢你！”

她放下电话，眼睛带着笑对傻小说："老奶奶住在远大小区二号楼1101号。快去找她吧！"

傻小和漂亮的白衣服小姐说了谢谢，走出医院。傻小还是没办法高兴，因为他不知道远大小区在哪里。傻小在路上见了人就问，可是人家[9]都说，北京一天比一天大，小区[7]一天比一天多，现在，北京的东西南北，一些很远的地方都有了新的小区[7]，他们也不知道那个远大小区在什么地方。

傻小骑着收废品[6]的车在北京找了一天，就是[12]没找到那个远大小区。傻小一直都没休息，累得很。

晚上，他慢慢地骑着收废品[6]的车，到了张大哥的女朋友家。

张大哥的女朋友是个快乐的女孩儿，傻小见过她很多次。她以前跟张大哥是同学，喜欢唱歌跳舞，还喜欢开玩笑。她的房间常常收拾得很干净。她穿的衣服和裤子都短那么一点点[51]，也都是很便宜的那种，可能就是[12]因为短那么一点点[51]，穿在她的身上，这些衣服裤子就都很好看。张大哥有这样的女朋友，傻小很高兴。傻小到的时候，张大哥已经到了，跟女朋友坐在那里看电视。他们这些从很远的地方来北京的人，都不看电影，因为电影票太贵了，大家都是买便宜的旧电视看。

"常姐姐，张大哥。"进了门，傻小叫着他们。张大哥的女朋友姓常。

"傻小来了！欢迎欢迎！才几天没见，长高了不少啊！快过来，吃饭

51. 一点点 yìdiǎndiǎn: a little bit

了。”常姐姐笑着，还是快乐的样子[52]。

“我想先喝点儿水。”傻小知道，跟常姐姐不用客气。

常姐姐给他一碗冷水，说：“喝吧，没有让你睡觉的药！”说完，张大哥和常姐姐都笑起来。傻小也笑了。他知道，张大哥已经把事情都告诉常姐姐了。

52. 样子 yàngzi: appearance, look

“知道吗，警察[44]已经到咱们住的地方去了。虽然他们没穿警察[44]的衣服，可是我看见那个问咱们话的警察[44]了！就在咱们房子附近那个小商店里，不知道的人还以为他是服务员呢！”这些话，张大哥好像怕房子外的人听，是走过来，到傻小的旁边说的。

“怎么样，找到老奶奶了吗？”张大哥又问。

傻小说：“没有。老奶奶住的远大小区不知道在哪儿。”

刚说完这话，电视里的音乐停了，上面有个男人说：“您有什么高兴的事和不高兴的事，有什么心事或者难事，请打13901234567。”这个男人天天都在这个时间说着一样的话。

“张大哥，常姐姐，我这事能打这个电话吗？”傻小问。

常姐姐说：“怎么不能！咱们马上就打！”

常姐姐拿手机打了那个电话号码[53]，电话里有个小姐说：“您好，这里是北京电视台[54]，您有什么事要我

53. 号码 hàomǎ: (telephone) number
54. 电视台 diànshìtái: TV station

们帮您吗?"傻小知道打手机很贵，话不能说得太长，他拿着电话学着张大哥那样，很快地把旧画儿[1]的事情说清楚了，最后[4]他说："我要找到住在远大小区的老奶奶，把画儿[1]还给她。"

放下电话，傻小很高兴。刚才在电话上，电视台[54]的人说他真是个好人，还说一定会很快帮他找到老奶奶。常姐姐也高兴地看着傻小说："傻小一点儿也不傻[13]啊！能想到叫电视台[54]帮你找人，这办法不错!"

Want to check your understanding of this part?
Go to the questions on page 56–57.

6. 旧画儿[1]的故事

第二天早上刚八点，有人打常姐姐的手机。

“是电视台[54]的！”常姐姐听完电话，高兴地告诉傻小，“他们已经找到老奶奶了！叫你等着，一会儿电视台[54]来车接[24]你，去见老奶奶！”

也就半个小时吧，一辆写着“北京电视台[54]”的白颜色小汽车就来到

了常姐姐家门前，附近的人都出来看，北京电视台[54]的汽车到这样又小又旧的房子来接[24]人，大家觉得是件很有意思的事。

5 傻小上汽车的时候有点儿紧张。他以前只坐过公共汽车，今天能坐上这么漂亮的小汽车，他真没想到[19]。可是，刚要上车，只听到重重的一声[55]，傻小的头撞[56]在了车上。"小心[30]！
10 小心[30]！撞[56]疼了吧？"电视台[54]的人问他。怎么能不疼呢！傻小都想大叫了，可是他觉得不好意思，只是[10]自己摸[31]着头，什么也没说。

老奶奶的病已经好了。她接[24]到
15 电视台[54]的电话以后，就走出卧室，在客厅等着傻小了。看见傻小来了，老奶奶特别高兴，问："孩子，好久不见，你还好吧？"她的女儿从厨房走出来，她笑着，给客人拿来茶和苹果。
20 傻小好像没有看见水果和茶，他很快地从衣服里拿出那个放着画儿[1]的包，"老奶奶，这是你的，你看看，没坏。"

老奶奶接[24]过包，拿出画儿[1]慢慢

55. 声 shēng: sound
56. 撞 zhuàng: bump

放到桌子上，左看右看，又把傻小叫过来，一起坐在桌子旁边，然后开始说："好孩子，我跟你说说这张画儿[1]的事。"大家马上都不说话了，注意地听老奶奶的故事，电视台[54]的人也马上把镜头[57]对着老奶奶和傻小。

5

老奶奶慢慢说："知道吗，这张画儿[1]，不是真的。"

听了老奶奶的话，大家的眼睛都变[3]大了。

10

老奶奶接着[27]说，"这是我爷爷的

57. 镜头 jìngtóu: camera lens

爷爷买的。那时候，我们家里开着两个书店，很有钱[33]，还有自己的图书馆。我的这个老爷爷特别喜欢买那些有名的中国旧画儿[1]，放在自己家的图书馆里。

“他最喜欢的就是[35]石涛[11]的画儿[1]。那时候，能看见的石涛[11]的画儿[1]不多，所以，他每次有机会看到一张石涛[11]的画儿[1]，就特别高兴。他爱喝酒，可是，看到石涛[11]的画儿[1]比喝了一瓶最好的酒还要高兴！他的朋友都知道他最懂石涛[11]的画儿[1]。因为石涛[11]太有名了，不少人学他的画儿[1]，用他的名字去卖钱。但是，我的那个老爷爷能很容易地看出哪些画儿[1]真是石涛[11]画的，哪些不是；只要真是石涛[11]的画儿[1]，多少钱，他都买！

“有一天，是他80岁生日。那天，一个他刚认识的人拿来一张画儿[1]，对他说，‘石涛[11]这张画儿[1]，我用了很多钱才买到，你看看。’这人的意思，就是[35]希望他买这画儿[1]。听到是石涛[11]的画儿[1]，我的老爷爷高兴地接[24]了过来，他左看看，右看看……这张画儿[1]上的山和水，都和石涛[11]的画儿[1]特别像，画儿[1]上的字和石涛[11]的名字也写得非常非常像，老爷爷高兴极了，觉得那张画儿[1]是真的，给了那个人很多钱。

“买到那张画儿[1]以后，老爷爷天天都在家里的那个图书馆里看很久，看得忘了吃饭和睡觉。可是有一天，他一下不笑也不说话了，就像生了病一样。第三天，他才把家里人叫来，慢慢地告诉家里人：‘这张画儿[1]，不是真的。’

5

10

"听了老爷爷的话，家里人都傻[13]了，看着那张用很多钱买的画儿[1]，不知道说什么好。大家想，老爷爷马上就会把画儿[1]烧[58]了。因为，在过去[18]，只要买的不是真画儿[1]，他都烧[58]了，这是他的习惯。

"现在，在他80岁的时候，看错了他最爱的石涛[11]的画儿[1]……

"这真的让他很不舒服，但是，最让他不舒服的是，这张画儿[1]画得真的太好了，和石涛[11]的真画儿[1]没有什么不一样！他也很爱这张画儿[1]。他对大家说：'我不想像过去[18]那样把它烧[58]了，但是，我也不想把它卖了去把钱换回来。我要把它送给你们，你们以后再给自己的孩子，让家里人都不要忘了，他们很懂石涛[11]的画儿[1]、特别喜欢石涛[11]的画儿[1]的老爷爷，在80岁的时候，看错了一张石涛[11]的画儿[1]……'

"老爷爷快死的时候还说：'告诉你们的孩子，这张画儿[1]，一定不能卖！'

"过了不知道多少年，这张画到了

58. 烧 shāo: burn

我这里。我知道，这张画儿[1]太像真的了，拿出去，可以卖很多钱，但是我一直记着我家老爷爷的话，在我最没钱的时候，都没想卖它。

“我知道，有一些心[59]里只想着钱的中国人在想办法找这样的旧画儿[1]，他们要卖给外国人，换很多钱。我怕有人拿走了画儿[1]，才把它放进了桌子腿[14]儿里，打算过两年把它送给我的女儿。没想到[19]，出了这样的事[41]……”

“傻小啊，你真是个好孩子！”老奶奶看着傻小，眼睛里有很多的爱，

59. 心 xīn: heart

她对傻小说,“从今天开始,我家的大门一直对你开着,希望你有空儿的时候能来这里玩儿。”

傻小说:“老奶奶,我认识这里了,以后有空儿就来看你!”

晚上,傻小在自己的房间里吃饭,张大哥很快地跑过来:“傻小傻小,快来看电视!你上电视了!”

傻小跟着张大哥跑到他的房间里,啊,电视里,老奶奶在给大家说那张画儿[1]的故事,自己就坐在老奶奶旁边!傻小看着自己在电视里的样子[52],虽然长得不好看,衬衫也不好,可是他还是觉得特别愉快。傻小想,家里没有电视,要是爸爸妈妈姐姐妹妹现在也在朋友的家里看电视多好!这样想着,傻小就傻[13]傻[13]地笑了。

一会儿,电视里有个女的出来说,今天下午,警察[44]已经在机场找到了那几个坏人,他们想坐飞机跑到别的[8]地方去。

傻小很高兴,警察[44]已经把坏人带走了,他们没机会再做坏事了,他也不用怕了。

第二天，傻小又骑着他收废品[6]的车来到小区[7]，刚停下，旁边就有人叫：“看啊，这不是昨天电视里那个收废品[6]的吗？啊，没错，就是[35]他！”

附近的公园里有一些人在运动，那些散步[60]的和打篮球的男人女人很快地走过来，“对对，今天报纸上还有他的照片呢！”大家都像参观一样高兴地看着傻小。一个阿姨说：“你等等，我家有很多旧报纸，还有旧杂志，我去拿。”一个姑娘说：“对了，我家有很多旧衣服，我也去拿……”

60. 散步 sàn bù: take a walk

那一天，傻小收来的废品特别多，最后车上都放不下[61]了……

晚上回家的时候，傻小在路上又看见了那个罚[46]过他一百块钱的警察[44]，傻小还是有点儿怕他。那警察[44]一直往傻小这里看，傻小很紧张。但是那个警察[44]看了他一会儿，对他笑了笑，走过来说："不错啊，上电视了！"说完，又对他笑了一下。

啊，是这事。傻小也高兴地对那警察[44]笑了笑。

从这天开始，小区[7]里的人看见傻小都会对他笑笑，走过他旁边的时候，也常常站在收废品[6]的车旁边和他说说话，很多人都把家里的旧东西拿到他这里来卖。

小区[7]的狗见了傻小也不叫了。

现在，生活好像有点儿不一样了，有时候[62]，他跟住在小区[7]的这些北京人高兴地说着话，也有点儿忘了自己不是这个城市里的人。不过，傻小还是傻小，他还常常去看老奶奶，有时候[62]还是有点儿怕警察[44]。他也没

61. 放不下 fàng bu xià: cannot put in (due to the limited space)
62. 有时候 yǒu shíhou: sometimes

忘了每个月去银行给妈妈寄钱。现在他最想做的事是再多卖一些废品，钱够了的时候，他要像张大哥的女朋友一样买个手机，不，要买两个，一个自己用，一个给家里，他要常常跟妈妈和家里人说话，他一个人在北京，有时候[62]挺想他们的。 5

Want to check your understanding of this part?
Go to the questions on page 57.

To check your vocabulary of this reader,
go to the questions on page 58.

To check your global understanding of this reader,
go to the questions on page 59.

生词表

Vocabulary list

1	画儿	huàr	painting, picture
2	好好儿	hǎohāor	all out
3	变	biàn	become, change
4	最后	zuìhòu	finally, at last
5	着呢	zhe ne	mood particle emphasizing it is obvious that some action is ongoing or some state is continuously existing
6	收废品	shōu fèipǐn	collect scrap
7	小区	xiǎoqū	residential quarter, community
8	别的	biéde	other
9	人家	rénjia	other, other people, he/him (she/her, they/them)
10	只是	zhǐshì	merely, simply, only
11	石涛	Shí Tāo	Shi Tao (1642—1707), a prestigious Chinese painter who lived during Late Ming Dynasty and Early Qing Dynasty
12	就是	jiùshì	merely, simply, only
13	傻	shǎ	foolish, silly
14	腿	tuǐ	leg
15	站不住	zhàn bu zhù	cannot stand
16	一五一十	yī wǔ yī shí	(enumerating) in full details
17	就是	jiù shì	namely
18	过去	guòqù	past
19	没想到	méi xiǎngdào	hardly expect; surprisingly
20	可乐	kělè	cola

21	凉	liáng	cold, cool
22	行了	xíng le	all right
23	快不了	kuài bu liǎo	cannot be quick (fast)
24	接	jiē	pick up, take (someone or something)
25	半天	bàntiān	half a day, a long time
26	头	tóu	beginning (lit: head)
27	接着	jiēzhe	continue (lit: following)
28	接	jiē	link, join up, connect
29	看出来	kàn chulai	see, realize, find out
30	小心	xiǎoxīn	careful
31	摸	mō	feel, touch
32	发现	fāxiàn	find out
33	有钱	yǒu qián	rich
34	就是	jiùshì	even if
35	就是	jiù shì	precisely be, exactly be
36	小意思	xiǎo yìsi	a little something, a small token of regard
37	为了	wèile	for the sake of
38	老大	lǎodà	big boss
39	要不然	yàoburán	or else, otherwise
40	不卖就不卖吧	bú mài jiù bú mài ba	It is okay not to sell it (as you wish).
41	出事	chū shì	have an accident, something's wrong
42	画店	huàdiàn	painting shop, art dealer's firm
43	站不起来	zhàn bu qǐlái	cannot stand up
44	警察	jǐngchá	police
45	本子	běnzi	notebook
46	罚	fá	penalize, punish
47	得到	dédào	gain
48	点头	diǎn tóu	nod

49	排队	pái duì	stand in a line
50	年纪	niánjì	age
51	一点点	yìdiǎndiǎn	a little bit
52	样子	yàngzi	appearance, look
53	号码	hàomǎ	(telephone) number
54	电视台	diànshìtái	TV station
55	声	shēng	sound
56	撞	zhuàng	bump
57	镜头	jìngtóu	camera lens
58	烧	shāo	burn
59	心	xīn	heart
60	散步	sàn bù	take a walk
61	放不下	fàng bu xià	cannot put in (due to the limited space)
62	有时候	yǒu shíhou	sometimes

练　习

Exercises

1. **是三百年前的画儿[1]？**

   根据故事选择正确答案。Select the correct answer for each of the questions.

   (1) 傻小是做什么的？

   a. 画画儿[1]的　　b. 收废品[6]的

   (2) 傻小来画店[42]做什么？

   a. 看看那张画儿[1]能卖多少钱　　b. 买画儿[1]

   (3) 高先生和冷先生来画店[42]做什么？

   a. 帮画店[42]的爷爷卖一张画儿[1]

   b. 帮画店[42]的爷爷看一张画儿[1]

   (4) 穿黄衣服的人是谁？

   a. 一个看画儿[1]的人　　b. 高先生　　c. 冷先生

   (5) 那几位先生说那张画儿[1]真是三百年前的吗？

   a. 是　　b. 不是

2. **画儿[1]是谁的？**

   根据故事选择正确答案。Select the correct answer for each of the questions.

   (1) 画儿[1]是谁的？

   a. 张大哥的　　b. 老奶奶的

   (2) 那张画儿[1]为什么在傻小那里？

   a. 他在废品里看到了那张画儿[1]　b. 别人送给他那张画儿[1]

   (3) 傻小卖了那张画儿[1]吗？

   a. 卖了　　b. 没卖

3. 有人在碗里放了药

根据故事选择正确答案。Select the correct answer for each of the questions.

(1) 谁告诉姓白的人傻小有那张画儿[1]?

a. 画店[42]的爷爷　　b. 穿黄衣服的人

(2) 傻小把画儿[1]卖给姓白的男人了吗?

a. 卖了　　b. 没卖

(3) 傻小把礼物还给姓白的人以后,姓白的人做了什么?

a. 收了礼物,然后走了　　b. 打了傻小,然后走了

4. "出事[41]了! 出事[41]了!"

根据故事选择正确答案。Select the correct answer for each of the questions.

(1) 谁喝了那碗水?

a. 傻小　　b. 张大哥

(2) 那天晚上傻小在哪儿睡的觉?

a. 张大哥的家里　　b. 自己的家里

(3) 那天晚上出了什么事?

a. 有人动过傻小房间里的东西　b. 坏人打了傻小和张大哥

(4) 出事[41]以后,傻小和张大哥打算做什么?

a. 找警察[44]帮忙　　b. 跑了

5. 老奶奶,你在哪儿?

下面的说法哪个对,哪个错? Mark the correct ones with "T" and incorrect ones with "F".

(1) 傻小把那张画儿[1]的事告诉了警察[44]。　(　　)

(2) 傻小去医院看病。　(　　)

(3) 警察[44]告诉傻小老奶奶住在哪儿。 ( )

(4) 傻小在医院见到了老奶奶。 ( )

(5) 常姐姐是老奶奶的女儿。 ( )

6. 旧画儿[1]的故事

下面的说法哪个对，哪个错？Mark the correct ones with "T" and incorrect ones with "F".

(1) 那张画儿[1]是老奶奶的爱人买的画儿[1]。 ( )

(2) 那张画儿[1]真的是石涛[11]的画儿[1]。 ( )

(3) 老爷爷没烧[58]那张画儿[1]，因为那张画儿[1]可以卖钱。 ( )

(4) 为了[37]谢傻小，老奶奶给了傻小一些钱。 ( )

(5) 小区[7]里的人知道了傻小的事，对他越来越好。 ( )

词汇练习 Vocabulary exercises

选词填空 Fill in each blank with the most appropriate word.

1. a. 清楚　　b. 紧张　　c. 兴趣　　d. 准备　　e. 好看

(1) 傻小在旧东西里发现了一张______的画儿[1]。

(2) 高先生对老奶奶的事没______。

(3) 傻小想听听老爷爷说什么,但是,他什么也没听______。

(4) 看到老爷爷不高兴,傻小很______。

(5) 老奶奶的女儿______让老奶奶和她一起住。

2. a. 还给　　b. 方便　　c. 忘　　d. 喝完　　e. 死

(1) 张大哥一点儿也不动,就像______了一样。

(2) 知道那张画儿[1]很贵,傻小想把它______老奶奶。

(3) 傻小一紧张,______了自己姓什么了。

(4) 在北京,还是骑车______。

(5) 张大哥把那碗水______了。

3. a. 听不懂　　b. 介绍　　c. 收好　　d. 看错　　e. 参观

(1) 那位老爷爷在80岁的时候______了一张石涛[11]的画儿[1]。

(2) 傻小让张大哥和他一起去警察[44]那儿,因为他怕警察[44]______他的话。

(3) 大家都像______一样,高兴地看着傻小。

(4) 张大哥很快就把事情______得清清楚楚。

(5) 警察[44]______桌子上的本子[45],对傻小和张大哥说他们可以回家了。

综合理解 Global understanding

根据整篇故事选择正确的答案。Select the correct answer for each of the gapped sentences in the following passage.

傻小是收废品[6]的。小区[7]的人只有卖废品的时候,才会看他一下。但是,小区[7]有一位(a. 张大哥　b. 老奶奶)对他很好。

有一天,老奶奶在路上走的时候(a. 像睡着了一样,一下子坐在地上　b. 被车撞[56]了)。傻小赶快给(a. 120　b. 老奶奶的女儿)打电话。老奶奶住进医院以后,她的女儿把她的旧东西卖给了傻小,想让老奶奶和自己一起住。没想到[19]傻小在那些旧东西里发现[32]了一张画儿[1]。(a. 张大哥　b. 常姐姐)让他卖了那张画儿[1],傻小就来到了一个画店[42]。画店[42]的老爷爷告诉他,那张画儿[1]是(a. 外国的画儿[1]　b. 石涛[11]的画儿[1]),能卖很多钱。傻小就不想卖了,因为他想(a. 卖更多钱　b. 那么贵的画儿[1],应该把画儿[1]还给老奶奶)。

两个坏人知道了傻小有石涛[11]的画儿[1]。他们来到傻小的家,想(a. 买那张画儿[1]　b. 看看傻小的画儿[1]是不是真的)。一个坏人把药放进了桌子上的一碗水里。那碗有药的水让(a. 张大哥的女朋友　b. 张大哥)喝了。那晚,傻小在张大哥家睡的觉。

第二天,傻小回到家才发现(a. 有人来过他家　b. 画儿[1]让人拿走了),动了他家的东西,应该是为了[37]那张旧画儿[1]。傻小和张大哥去找(a. 坏人　b. 警察[44]),让警察[44]帮助他们。傻小还去(a. 远大小区　b. 医院)找老奶奶,可是老奶奶去了远大小区。傻小一直没找到远大小区,他给(a. 警察[44]　b. 电视台[54])打电话请他们帮忙。

最后[4],在(a. 警察[44]　b. 电视台[54])的帮助下,傻小找到了老奶奶,把旧画儿[1]还给了老奶奶。老奶奶还告诉了他旧画儿[1]的故事——那画儿[1]不是石涛[11]画的,可是非常像石涛[11]的画儿[1]。

因为上了电视,小区[7]的人都知道了傻小做的好事,他们对傻小越来越好。傻小很高兴。

练习答案

Answer keys to the exercises

1. 是三百年前的画儿[1]？

(1) b　(2) a　(3) b　(4) a　(5) a

2. 画儿[1]是谁的？

(1) b　(2) a　(3) b

3. 有人在碗里放了药

(1) b　(2) b　(3) a

4. “出事[41]了！出事[41]了！”

(1) b　(2) a　(3) a　(4) a

5. 老奶奶，你在哪儿？

(1) T　(2) F　(3) F　(4) F　(5) F

6. 旧画儿[1]的故事

(1) F　(2) F　(3) F　(4) F　(5) T

词汇练习 Vocabulary exercises

1. (1) e　(2) c　(3) a　(4) b　(5) d
2. (1) e　(2) a　(3) c　(4) b　(5) d
3. (1) d　(2) a　(3) e　(4) b　(5) c

综合理解 Global understanding

傻小是收废品[6]的。小区[7]的人只有卖废品的时候，才会看他一下。但是，小区[7]有一位(b. 老奶奶)对他很好。

有一天，老奶奶在路上走的时候(a. 像睡着了一样，一下子坐在地上)。傻小赶快给(a. 120)打电话。老奶奶住进医院以后，她的女儿把她的旧东西卖给了傻小，想让老奶奶和自己一起住。没想到[19]傻小在那些旧东西里发现[32]了一张画儿[1]。(a. 张大哥)让他卖了那张画儿[1]，傻小就来到了一个画店[42]。画店[42]的老爷爷告诉他，那张画儿[1]是(b. 石涛[11]的画儿[1])，能卖很多钱。傻小就不想卖了，因为他想(b. 那么贵的画儿[1]，应该把画儿[1]还给老奶奶)。

两个坏人知道了傻小有石涛[11]的画儿[1]。他们来到傻小的家，想(a.买那张画儿[1])。一个坏人把药放进了桌子上的一碗水里。那碗有药的水让(b. 张大哥)喝了。那晚，傻小在张大哥家睡的觉。

第二天，傻小回到家才发现(a. 有人来过他家)，动了他家的东西，应该是为了[37]那张旧画儿[1]。傻小和张大哥去找(b. 警察[44])，让警察[44]帮助他们。傻小还去(b. 医院)找老奶奶，可是老奶奶去了远大小区。傻小一直没找到远大小区，他给(b. 电视台[54])打电话请他们帮忙。

最后[4]，在(b. 电视台[54])的帮助下，傻小找到了老奶奶，把旧画儿[1]还给了老奶奶。老奶奶还告诉了他旧画儿[1]的故事——那画儿[1]不是石涛[11]画的，可是非常像石涛[11]的画儿[1]。

因为上了电视，小区[7]的人都知道了傻小做的好事，他们对傻小越来越好。傻小很高兴。

本书练习由王萍丽编写

为所有中文学习者(包括华裔子弟)编写的
第一套系列化、成规模、原创性的大型分级
轻松泛读丛书

“汉语风”(*Chinese Breeze*)分级系列读物简介

“汉语风”(*Chinese Breeze*)是一套大型中文分级泛读系列丛书。这套丛书以“学习者通过轻松、广泛的阅读提高语言的熟练程度,培养语感,增强对中文的兴趣和学习自信心”为基本理念,根据难度分为8个等级,每一级6—8册,共近60册,每册8,000至30,000字。丛书的读者对象为中文水平从初级(大致掌握300个常用词)一直到高级(掌握3,000—4,500个常用词)的大学生和中学生(包括修美国AP课程的学生),以及其他中文学习者。

“汉语风”分级读物在设计和创作上有以下九个主要特点:

一、等级完备,方便选择。精心设计的8个语言等级,能满足不同程度的中文学习者的需要,使他们都能找到适合自己语言水平的读物。8个等级的读物所使用的基本词汇数目如下:

第1级:300 基本词	第5级:1,500 基本词
第2级:500 基本词	第6级:2,100 基本词
第3级:750 基本词	第7级:3,000 基本词
第4级:1,100 基本词	第8级:4,500 基本词

为了选择适合自己的读物,读者可以先看看读物封底的故事介绍,如果能读懂大意,说明有能力读那本读物。如果读不懂,说明那本读物对你太难,应选择低一级的。读懂故事介绍以后,再看一下书后的生词总表,如果大部分生词都认识,说明那本读物对你太容易,应试着阅读更高一级的读物。

二、题材广泛,随意选读。丛书的内容和话题是青少年学生所喜欢的侦探历险、情感恋爱、社会风情、传记写实、科幻恐怖、神话传说等。学习者可以根据自己的兴趣爱好进行选择,享受阅读的乐趣。

三、词汇实用,反复重现。各等级读物所选用的基础词语是该等级的学习者在中文交际中最需要最常用的。为研制“汉语风”各等级的基础词

表,“汉语风”工程首先建立了两个语料库:一个是大规模的当代中文书面语和口语语料库,一个是以世界上不同地区有代表性的40余套中文教材为基础的教材语言库。然后根据不同的交际语域和使用语体对语料样本进行分层标注,再根据语言学习的基本阶程对语料样本分别进行分层统计和综合统计,最后得出符合不同学习阶程需要的不同的词汇使用度表,以此作为“汉语风”等级词表的基础。此外,“汉语风”等级词表还参考了美国、英国等国和中国大陆、台湾、香港等地所建的10余个当代中文语料库的词语统计结果。以全新的理念和方法研制的“汉语风”分级基础词表,力求既具有较高的交际实用性,也能与学生所用的教材保持高度的相关性。此外,“汉语风”的各级基础词语在读物中都通过不同的语境反复出现,以巩固记忆,促进语言的学习。

四、易读易懂,生词率低。“汉语风”严格控制读物的词汇分布、语法难度、情节开展和文化负荷,使读物易读易懂。在较初级的读物中,生词的密度严格控制在不构成理解障碍的1.5%到2%之间,而且每个生词(本级基础词语之外的词)在一本读物中初次出现的当页用脚注做出简明注释,并在以后每次出现时都用相同的索引序号进行通篇索引,篇末还附有生词表,以方便学生查找,帮助理解。

五、作家原创,情节有趣。“汉语风”的故事以原创作品为主,多数读物由专业作家为本套丛书专门创作。各篇读物力求故事新颖有趣,情节符合中文学习者的阅读兴趣。丛书中也包括少量改写的作品,改写也由专业作家进行,改写的原作一般都特点鲜明、故事性强,通过改写降低语言难度,使之适合该等级读者阅读。

六、语言自然、鲜活。读物以真实自然的语言写作,不仅避免了一般中文教材语言的枯燥和“教师腔”,还力求鲜活地道。

七、插图丰富,版式清新。读物在文本中配有丰富的、与情节内容自然融合的插图,既帮助理解,也刺激阅读。读物的版式设计清新大方,富有情趣。

八、练习形式多样,附有习题答案。读物设计了不同形式的练习以促进学习者对读物的多层次理解;所有习题都在书后附有答案,以方便查对,利于学习。

九、配有录音,两种语速选择。各册读物所附的故事录音(MP3格式),有正常语速和慢速两种语速选择,学习者可以通过听的方式轻松学习、享受听故事的愉悦。故事录音可通过扫描封底的二维码获得,也可通过网址 http://www.pup.cn/dl/newsmore.cfm?sSnom=d203 下载。

For the first time ever, Chinese has an extensive series of enjoyable graded readers for non-native speakers and heritage learners of all levels

ABOUT *Hànyǔ Fēng* (*Chinese Breeze*)

Hànyǔ Fēng (*Chinese Breeze*) is a large and innovative Chinese graded reader series which offers nearly 60 titles of enjoyable stories at eight language levels. It is designed for college and secondary school Chinese language learners from beginning to advanced levels (including AP Chinese students), offering them a new opportunity to read for pleasure and simultaneously developing real fluency, building confidence, and increasing motivation for Chinese learning. *Hànyǔ Fēng* has the following main features:

☆ Eight carefully graded levels increasing from 8,000 to 30,000 characters in length to suit the reading competence of first through fourth-year Chinese students:

Level 1: 300 base words	Level 5: 1,500 base words
Level 2: 500 base words	Level 6: 2,100 base words
Level 3: 750 base words	Level 7: 3,000 base words
Level 4: 1,100 base words	Level 8: 4,500 base words

To check if a reader is at one's reading level, a learner can first try to read the introduction of the story on the back cover. If the introduction is comprehensible, the leaner will be able to understand the story. Otherwise the learner should start from a lower level reader. To check whether a reader is too easy, the learner can skim the Vocabulary (new words) Index at the end of the text. If most of the words on the new word list are familiar to the learner, then she/ he should try a higher level reader.

☆ Wide choice of topics, including detective, adventure, romance, fantasy, science fiction, society, biography, mythology, horror, etc. to meet the diverse interests of both adult and young adult learners.

☆ Careful selection of the most useful vocabulary for real life communication in modern standard Chinese. The base vocabulary used for writing each level was generated from sophisticated computational analyses of very large written and spoken Chinese corpora as well as a language databank of over 40 commonly used or representative Chinese textbooks in different countries.

☆ Controlled distribution of vocabulary and grammar as well as the deployment of story plots and cultural references for easy reading and efficient learning, and highly recycled base words in various contexts at each level to maximize language development.

☆ Easy to understand, low new word density, and convenient new word glosses and indexes. In lower level readers, new word density is strictly limited to 1.5% to 2%. All new words are conveniently glossed with footnotes upon first appearance and also fully indexed throughout the texts as well as at the end of the text.

☆ Mostly original stories providing fresh and exciting material for Chinese learners (and even native Chinese speakers).

☆ Authentic and engaging language crafted by professional writers teamed with pedagogical experts.

☆ Fully illustrated texts with appealing layouts that facilitate understanding and increase enjoyment.

☆ Including a variety of activities to stimulate students' interaction with the text and answer keys to help check for detailed and global understanding.

☆ Audio files in MP3 format with two speed choices (normal and slow) accompanying each title for convenient auditory learning. Scan the QR code on the backcover, or visit the website http://www.pup.cn/dl/newsmore.cfm?sSnom=d203 to download the audio files.

“汉语风”系列读物其他分册
Other *Chinese Breeze* titles

“汉语风”全套共8级近60册，自2007年11月起由北京大学出版社陆续出版。下面是已经出版或近期即将出版的各册书目。请访问北京大学出版社网站(www.pup.cn)关注最新的出版动态。

Hànyǔ Fēng (*Chinese Breeze*) series consists of nearly 60 titles at eight language levels. They have been published in succession since November 2007 by Peking University Press. For most recently released titles, please visit the Peking University Press website at www.pup.cn.

第1级：300词级
Level 1: 300 Word Level

错，错，错！
Wrong, Wrong, Wrong!

两个想上天的孩子
Two Children Seeking the Joy Bridge

我一定要找到她……
I Really Want to Find Her...

我可以请你跳舞吗？
Can I Dance with You?

向左向右
Left and Right: The Conjoined Brothers

你最喜欢谁？
Whom Do You Like More?

第2级：500词级
Level 2：500 Word Level

电脑公司的秘密
Secrets of a Computer Company

方新写了一个很好的软件(ruǎnjiàn: software)，没想到这个软件被人盗版(dàobǎn: be pirated)了。做盗版的是谁？他找了很久也没有找到。直到有一天，小月突然发现了这里的秘密(mìmì: secret)。她把这个秘密告诉了方新。但是，就在这个时候，做盗版的人发现了小月，要杀(shā: kill)了她……

Fang Xin was the developer of a popular software program. But he did not anticipate that the software was soon pirated for sale in large volumes. He had been searching for the pirates for a long time, but did not find them. One day, his wife Xiaoyue overheard a phone conversation in a store. She followed the caller and discovered the pirates. Nevertheless, Xiaoyue didn't think that she was already on the brink of death...

我家的大雁飞走了
Our Geese Have Gone

二十五年前，村里的人们还不知道大雁(yàn: wild goose)是应该保护(bǎohù: protect)的动物(dòngwù: animal)。爷爷最会打雁，打了大雁拿到城里，卖了钱给我上学。

可是，有一天，爷爷没有打到雁，因为雁队里有了一只很聪明的头雁(tóuyàn: lead goose)。在头雁带着雁队要飞走的时候，一只鹰(yīng: eagle)飞了过来，飞向一只小雁！

鹰太大了，头雁和鹰打了一会儿，伤(shāng: injure)得很重。爷爷帮助头雁，打走了鹰，让头雁住在家里。头雁的女朋友也来找它了。最会打雁的爷爷有了两个大雁朋友……

Twenty-five years ago, people in my village did not know that wild geese should be under protection from hunting. Among the hunters, my grandpa was the best. He brought the geese he shot back to town and sold them to pay for my schooling.

However, grandpa did not shoot one single goose on that day. It was all because of the vigilant lead goose in the flock. But at the moment when the flock was flying away, an eagle came. The eagle was hungry for young geese and pounced on one! The lead goose fought and fought with the eagle. But the eagle was too strong, and the lead goose was injured.

Without hesitation, grandpa repelled the eagle away. He brought the wounded lead goose home and took good care of it. Before long, the lead goose's mate flew over to join him in our home. Grandpa, the best hunter of wild geese, now had two goose friends...

青凤

Green Phoenix

耿(Gěng)家的旧房子很长时间没人住了。不知道为什么,房子的门常常自己开了,又自己关上,看不见有人进去,也没看见有人出来,但是到了晚上,就能听见里面有人说话和唱歌。一天晚上,耿去病(Gěng Qùbìng)看到旧房子的楼上有亮光(liàngguāng: light),他就慢慢地进到房子里,走上楼。他看见那里坐着一个漂亮姑娘,还有她的家人。耿去病很喜欢那个姑娘,他想知道那姑娘是谁,他们从哪里来,为什么住在他家的旧房子里。可是,他怎么也想不到以后出了那些事……

The old house of the Geng family has been uninhabited for years. But recently the doors of the house open and close without anyone going in or out. And at night one can hear people talking and singing inside.

One dark evening, Geng Qubing sees light shining from the attic of the house. He slips into the house, and sees a pretty girl sitting with her family in the attic. Deeply attracted to the girl, Geng Qubing is determined to find out who she is, where her family is from, and why they live in his old house. But what eventually takes place is a shock for him!

如果没有你

If I Didn't Have You

黄小明是个小偷(xiǎotōu: pickpocket)。他很会偷(tōu: steal)东西,但是他只偷很有钱的人,钱少的人他不偷,也不让别的小偷偷他们。大学生夏雨(Xià Yǔ)的钱包被偷走了,他帮助夏雨要了回来;有个小偷偷了一位老奶奶的钱包(qiánbāo: wallet),他把钱包从那个小偷那里偷回来,送回到老奶奶的衣服里……

黄小明爱上了夏雨。有一次,黄小明偷了一个特别有钱的人。可是,这个钱包给他带来了大麻烦!黄小明不知道应该怎么办,夏雨帮助了他。

可是,小偷黄小明能得到大学生夏雨的爱吗?

Xiaoming is a pickpocket. He is really good at stealing. But he only steals from rich people. He never touches those who are poor, and doesn't let other thieves steal from poor people either.

Xia Yu is a college freshman. She lost her purse at a railway station. Xiaoming got the purse back for her from the thief. Another time, a thief stole an old woman's wallet on a bus. Xiaoming stole the wallet back from the thief and put into the lady's jacket unobserved. More surprisingly, when Xiaoming is falling in love with Xia Yu, he lands into a big trouble after stealing a wallet from a very rich man.

Will Xiaoming the pickpocket win the love of Xia Yu, a pretty college student?

妈妈和儿子

Mother and Son

十几岁的儿子因为不快乐，离开了家，不知道去了哪里。妈妈找了很多地方，都没有找到他。为了等儿子回来，妈妈不出去见朋友，不去饭店吃饭，不出去旅行，不换住的房子，也不改电话号码。她就这样每天在家里等着儿子，等了一年又一年……

后来，儿子想妈妈了，他回来了。可是，家里的妈妈呢？妈妈在哪儿？！

A teenage boy left home because he thought he was unhappy. Nobody knew where he went. His mother was looking for him all around, but she did not find him. To wait for her son's coming back, she never went out with friends, never ate out, and never traveled away. She did not accept a great offer for relocating her home, or even changing her home phone number. She just stayed at home and waited for her son. She waited and waited for years.

One day, the son came back, missing his mother. However, the mother was not at home anymore...

出事以后

After the Accident

一个冬天的晚上，女老师在路上骑着自行车，她要回家，却突然倒(dǎo: fall)在了一辆汽车前面。开车的人马上停车，把女老师送到了附近的医院，给女老师挂号(guà hào: register for seeing a doctor)看病。

"病人叫什么名字？""她怎么了？""你是她的家人吧？"……护士(hùshi: nurse)有很多问题，可是开车的人什么也不回答，很快就走了。

……

但是，最后女老师还是找到了他。

One winter night, a teacher was on her way home. Suddenly she fell down from her bicycle in front of a car. The driver stopped his car right away and brought the teacher to a hospital nearby.

"The patient's name, please?" "What's the problem?" "Are you her relative?"... The nurse asked quite a few questions. But the driver answered nothing. He then quickly disappeared.

...

In the end, however, the teacher still saw the driver.

第3级：750词级
Level 3: 750 Word Level

第三只眼睛
The Third Eye

画皮
The Painted Skin

留在中国的月亮石雕
The Moon Sculpture Left Behind

朋友
Friends

第4级：1,100词级
Level 4: 1,100 Word Level

好狗维克
Vick the Good Dog

两件红衬衫
Two Red Shirts

竞争对手
The Competitor

沉鱼落雁
Beauty and Grace